ostrich

owl

orange

onion

octopus

orangutan

o for an **o**wl

o for an **o**strich

o for an **o**nion

4

o for an **o**ctopus

o for an orangutan

o for an **o**rangutan
eating an **o**range

Oh, **o**h, **o**h!
What do you know?
An **o**wl and an **o**ctopus
went for a row!